CÓDIGO DE COLORES

D1622958

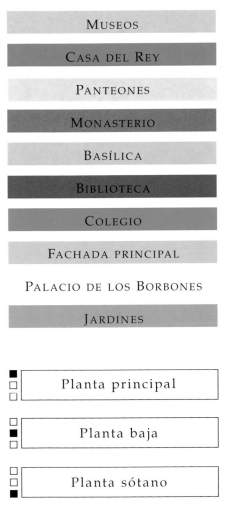

Museos

Casa del Rey

Panteones

Monasterio

Basílica

Biblioteca

Colegio

Fachada principal

Palacio de los Borbones

Jardines

■	Planta principal
□	
□	

□	Planta baja
■	
□	

□	Planta sótano
□	
■	

1 Los Museos
  A Sala de San Mauricio
  B Museo de la Arquitectura
  C Museo de Pintura

2 Patio de Mascarones

3 Galería de Batallas

4 La Casa del Rey

5 Los Panteones

6 Salas Capitulares

7 Claustro principal
  A Patio de los Evangelistas

8 Escalera principal

9 Iglesia vieja

10 Sacristía

11 La Basílica

12 Patio de los Reyes

13 La Biblioteca

14 Fachada principal

15 El Palacio de los Borbones

REAL MONASTERIO DE SAN LORENZO DE EL ESCORIAL

CARMEN GARCÍA-FRÍAS
JOSÉ LUIS SANCHO

R&S
REALES SITIOS DE ESPAÑA

© PATRIMONIO NACIONAL, 1999
Palacio Real de Madrid
Bailén, s/n
28071 Madrid
Tel. 91 547 53 50

© De los textos: Carmen García-Frías y
José Luis Sancho Gaspar

© De las fotografías: Patrimonio Nacional - Félix Lorrio

NIPO: 006-01-061-5
ISBN: 84-7120-250-6
D.L.: M-45468-1999

Coordinación y producción: ALDEASA
Diseño y maquetación: Myriam López Consalvi
Fotomecánica: Lucam
Impresión: Estudios Gráficos Europeos, S. A.

Foto de portada: Vista del Monasterio desde
el Monte Abantos.

Foto de contraportada: Dehesa del Monasterio.

Impreso en España, *Printed in Spain*

ntenido

ATRIMONIO Nacional es el organismo que
inistra los bienes del Estado al servicio de
orona para realizar las funciones de
esentación que la Constitución y las Leyes
ncomiendan.

Se trata de un conjunto de Palacios, y de
nasterios y Conventos de fundación real,
a mayor importancia histórica, artística y
ural, por encima de la cual destaca su *valor
bólico*. Los Palacios Reales de Madrid,
Pardo, Aranjuez, San Ildefonso y
Almudaina son edificios con el uso
dencial y representativo para el que fueron
struidos siglos atrás. En ellos Su Majestad
Rey ejerce sus funciones solemnes como Jefe
Estado, particularmente en el de Madrid,
de el *valor simbólico* alcanza su plenitud en
nto residencia oficial de la Corona.

Compatibles con aquellas funciones, los
ficios y bienes de otra naturaleza que
gran el Patrimonio Nacional tienen una
inida vocación cultural que se proyecta a
vés de su apertura al estudio, la
estigación, y la visita pública.

Tanto los edificios como las Colecciones
les españolas (compuestas de 27 epígrafes
áticos diferentes, desde abanicos a
ramientas, pasando por plata, pintura,
ices, mobiliario, instrumentos musicales,
ojes, etc.) se distinguen por características
e hacen del Patrimonio Nacional una
titución cultural única en el mundo: la
ticularidad de uso, ya que su utilidad
resentativa para la Corona sigue vigente; la
enticidad histórica, ya que son piezas
argadas, adquiridas o regaladas en su
mento, para ese lugar; la *originalidad*,

marcada por la ausencia de réplicas e
imitaciones; y su *extraordinario valor* artístico,
histórico y simbólico.

La comprensión de estas características
permite al visitante percibir que el Patrimonio
Nacional es mucho más que un museo.

Los Palacios Reales españoles se
encuentran rodeados de espacios verdes, que
en la actualidad miden aproximadamente
20.500 hectáreas; unas 500 corresponden a
huertas y jardines, y 20.000 a masa forestal. Se
reparte ésta entre El Pardo, La Herrería y
Riofrío, y parcialmente es visitable por el
público. Su importancia ecológica dentro del
biotipo *bosque mediterráneo* (el mayoritario) es
notoria, y no desmerece en su ámbito con la
de los monumentos en torno a los cuales se
encuentra.

Los Reales Monasterios y Conventos de
fundación real están atendidos desde su
creación por las mismas Órdenes religiosas,
excepto San Lorenzo de El Escorial que, como
consecuencia de las desamortizaciones del
siglo XIX, pasó de la Orden jerónima a la de
San Agustín. Tienen una importancia especial
en la historia de España, pues su origen se
debe a patronazgos particulares de los Reyes.

Además de su finalidad cultural, el
propósito de la visita pública es contribuir a
que cada español capte el valor simbólico de
lo visitado, se identifique con él y sienta ser
legatario del inmenso tesoro histórico y
artístico que constituyen los bienes que
componen el Patrimonio Nacional.

Reunidos a lo largo de los siglos por la
Corona, su influencia en la identidad cultural
de España ha sido, y es, decisiva.

~oducción

ﾍONASTERIO de El Escorial es el monumento
ﾏmejor resume las aspiraciones ideológicas
ﾂturales del Siglo de Oro español, periodo
ﾍ cual la Corona de España, erigida en
ﾄcipal defensora de la Contrarreforma
ﾍica frente a los países que habían abrazado
ﾏ forma protestante, fue la primera potencia
ﾍdial tanto por sus alianzas dinásticas y el
ﾏiguiente poder territorial en Europa, como
ﾏel dominio sobre la casi totalidad del
ﾂinente americano entonces conocido.
ﾍcha del "Rey católico" por la hegemonía
ﾏpea y por la defensa de la religión
ﾂicional, y el culto a la dinastía y a la
ﾏona del Monarca como elegido de Dios,
ﾂentran su expresión en El Escorial
ﾍiante una síntesis original de formas
ﾏsticas italianas y flamencas.
ﾂActualmente, El Escorial continúa bajo el
ﾏo patronato de Su Majestad el Rey,
ﾍinistrado por el Patrimonio Nacional.
ﾏes de iniciar nuestro recorrrido por el
ﾏnumento conviene exponer algunos
ﾂlles de carácter histórico.

ﾏpectos generales

ﾏfundación y sus motivos

ﾂ LORENZO el Real agrupa en un mismo
ﾍficio varias funciones, pero básicamente fue
ﾏcebido como un monasterio de monjes de la
ﾍen de San Jerónimo, cuya iglesia sirviese
ﾏno panteón del emperador Carlos V y de su
ﾍjer, así como de su hijo Felipe II, sus
ﾍiliares y sucesores, y donde los frailes
ﾏsen ininterrumpidamente por la salvación

de las personas reales. Se proyectó asimismo
un palacio para alojar al Rey, como patrono de
la fundación, y a su séquito. El colegio y el
seminario completan la función religiosa del
Monasterio, y la Biblioteca presta servicio a
estos tres centros.

La victoria sobre Enrique II de Francia en
San Quintín, que fue el primer gran triunfo
bélico del reinado de Felipe II, coincidiendo
con la festividad de San Lorenzo, el 10 de
agosto de 1557, explica en parte la advocación
del Monasterio, que desde luego no es sólo un
monumento votivo.

La figura de Carlos V es decisiva en la
fundación por lo mucho que influyó en el
espíritu de su hijo, por el ejemplo de sus
últimos años pasados entre los monjes
jerónimos de Yuste y por la necesidad de
dotarle de una digna sepultura. Tras un largo
reinado, Felipe II falleció en El Escorial el
13 de septiembre de 1598.

El fundador

FELIPE II fue Rey de España y de las Indias
desde 1556; de Nápoles, Sicilia y Milán desde
1554; y de los Países Bajos desde 1555, todo
por cesión de su padre el Emperador
Carlos V, quien en 1556 dejó el poder y se
retiró al Monasterio de Yuste, donde murió en
1558. Tras un largo reinado, Felipe II falleció
en El Escorial el 13 de septiembre de 1598.

La obra

UNA VEZ decidido a fundar el Monasterio,
Felipe II comenzó en 1558 a decidir su
emplazamiento, que quedó fijado a finales de
1562, comenzándose la obra según el proyecto
o "traza universal" de Juan Bautista de Toledo.

En 1571, la parte del Convento estaba ya más o menos concluida; en 1572 se comenzó la "Casa del Rey", y en 1574 la Basílica, finalizada en 1586 y consagrada en 1595, fecha que puede considerarse la del final de la obra, aunque la última piedra se colocase en 1584 y la tarea decorativa se prolongase algunos años más. El Rey supervisó con cuidado toda la construcción, de la que eran responsables el arquitecto, el prior y dos comisiones.

El arquitecto era nombrado directamente por el Rey, y por tanto solamente a él tenía que dar cuenta de su trabajo y no al prior, quien por lo demás era la máxima autoridad de la obra, y a quien estaba sometida la "Congregación", comisión ejecutiva encargada de los asuntos judiciales y económicos, la inspección y los pagos.

Los artífices

EL ESCORIAL no puede considerarse en absoluto obra de un arquitecto, sino fruto de una compleja colaboración en la que destacan dos proyectistas: Juan Bautista de Toledo y Juan de Herrera. Al primero, que había trabajado en el Vaticano como ayudante de Miguel Ángel, le corresponde la disposición de la planta general y la mayoría de las trazas. Durante el periodo en el que el segundo dirigió las obras se edificó casi todo el conjunto, incluyendo numerosas partes que no habían sido diseñadas por Toledo. Teniendo en cuenta las múltiples consultas a otros arquitectos italianos y españoles para llegar a las síntesis finales, hay que considerar que la obra de El Escorial es una emanación particularísima del carácter de Felipe II.

Tampoco hay que olvidar la importancia de los maestros de obras y aparejadores, como Fray Antonio de Villacastín, Pedro de Tolosa,

Vista general del Monasterio desde la Casita del Infante.

▲ *Arriba, tejados del Monasterio. Abajo, Portada principal del Monasterio.*

Diego de Alcántara o Juan de Minjares. Discípulo de Herrera, y continuador de su tarea a partir de 1583, fue Francisco de Mo En el siglo XVIII, Juan de Villanueva asimi su formación clasicista italiana el espíritu d El Escorial en sus grandes obras para Carlos III y Carlos IV.

El Escorial del siglo XVI al XIX

EL MONASTERIO funcionó de acuerdo con la intenciones y el programa de su fundador hasta 1835, enriqueciéndose con las aportaciones de los sucesivos monarcas.

Felipe III inició la obra del *Panteón de Re* concluido por Felipe IV, quien hizo traer un importante lote de pinturas que el propio Velázquez se encargó de seleccionar y coloc partir de 1656. Carlos II ordenó reconstruir Monasterio a Bartolomé Zumbigo tras el incendio de 1671, y adornarlo con el *retablo d* la Sacristía, presidido por la obra maestra de Claudio Coello, *La Adoración de la Sagrada Forma*, y con el grandioso ciclo de *frescos* de Luca Giordano. A partir de 1767, Carlos III ordenó la urbanización del Real Sitio, construyéndose entonces las casas nuevas d Lonja y además las dos *casitas* de placer par Príncipe y el Infante. A Carlos IV se debe la remodelación de la fachada norte y la decoración del Palacio de los Borbones, ade del enriquecimiento ornamental de la *Casita* que había hecho construir siendo Príncipe.

El Escorial en los siglos XIX y XX

TRAS LAS pérdidas sufridas por las coleccione artísticas de El Escorial durante la Guerra de Independencia, parcialmente compensadas c devoluciones y restauraciones de Fernando

Jardines del Rey desde un balcón.

las leyes desamortizadoras del siglo XIX supusieron la desaparición de la comunidad de monjes jerónimos y la reversión de los bienes fundacionales al Patrimonio de la Corona. El Monasterio se destinó a diferentes usos religiosos hasta su adscripción a los monjes agustinos en 1885. Las conmemoraciones de los Cuartos Centenarios del comienzo y fin de la construcción en 1963 y en 1986 dieron nuevo empuje a las obras de restauración y a los estudios sobre El Escorial, que parecen haber superado las valoraciones, positivas o negativas, desenfocadas por los prejuicios.

La visita

El Real Monasterio de San Lorenzo de El Escorial constituye un inmenso rectángulo dentro del cual se distribuyen las diversas funciones que había de albergar, como puede verse en el plano:

El espacio sagrado del Templo y su atrio.

El Convento, distribuido en torno a un patio grande y cuatro chicos.

La Casa del Rey.

Las dependencias del Palacio del Rey.

El Colegio.

La Biblioteca.

Esta "traza universal" pensada por Juan Bautista de Toledo está influida por las plantas cruciformes de los hospitales italianos y españoles del siglo XV, pero su fuente primordial puede considerarse que es la disposición tradicional de los monasterios medievales. Está emplazada en la ladera del monte, orientada a los cuatro puntos cardinales con el altar hacia el Este, de tal manera que por ese lado y por el Sur, donde el terreno desciende, queda cercada por jardines sostenidos sobre fuertes muros. Por los

Vista de la fachada sur del Monasterio, con la Galería de Convalecientes y el estanque de la h

En la doble página anterior, vista general nocturna del Monasterio.

costados norte y oeste, donde el terreno es más alto, le rodea un espacio de respeto, la *Lonja*.

Conforme se acaba la subida de acceso, se descubre el lado más pintoresco del edificio, con la Casa del Rey, el testero posterior de la Basílica y su cúpula; hemos de recorrer toda la Lonja y dar la vuelta al edificio para llegar a la *fachada principal*. El edificio impone por la uniformidad y rigor de su fábrica desornamentada, pero cada fachada tiene su carácter propio.

Tal uniformidad hubiera sido mucho menor de acuerdo con la idea inicial de Toledo, quien pensó la mitad occidental del edificio con una planta menos, y torres marcando el paso a la mayor altura en el centro de las fachadas norte y sur. La gradación de los volúmenes hubiera otorgado al edificio un carácter armónico más normal dentro del alto Renacimiento. En 1564, Felipe II decidió dotar el Monasterio con cien monjes en lugar de cincuenta, y el proyecto se amplió también a cuatro alturas en todo el edificio.

En el centro de la *fachada norte* se abre la puerta de acceso a la visita, donde ha de adquirirse el billete de ingreso. Hecho esto es preferible volver a salir y dirigirse hacia la portada principal, considerando la fachada norte y los edificios que rodean la Lonja, construidos como dependencias del Palacio y Monasterio entre los siglos XVI y XVII, ninguno de los cuales estaba previsto en el plan inicial de Juan Bautista de Toledo.

Frente a la fachada norte, remodelada en el siglo XVIII por Juan de Villanueva, están las dos *Casas de Oficios* construidas por Herrera en el XVI para alojar a los criados del Rey, y unidas al Palacio en 1769 mediante un *pasaje subterráneo* construido por el Padre Pontones (Fray Antonio de San José) para que los cortesanos no perdieran sus tricornios y pelucas, arrebatados por las fuertes ventiscas. Al extremo suroeste de la Lonja está la

Compaña, construida a fines del XVI por Francisco de Mora como dependencias conventuales y unida al Monasterio por un galería sobre arcos.

Hasta el reinado de Carlos III no hubo torno al Monasterio otros edificios de importancia: la fachada principal quedaba enfrentada a la montaña, en un diálogo en Naturaleza y Arte; los jerónimos vivían co eremitas dedicados a la oración en medio desierto.

El resto de los edificios que cierran la Lonja son por tanto del XVIII y obra de Jua de Villanueva: junto a la Compaña, la larg Casa de Infantes, iniciada en 1771, y hacien ángulo con ella la *Casa del Ministro de Esta* de 1785, ambas con notables escaleras.

La fachada principal del Monasterio presenta tres portadas. Las laterales, idénti corresponden al Colegio (izquierda) y al Convento (derecha).

La portada del Convento no correspond su entrada principal, sino que daba acceso una rampa a los almacenes de comestibles, tras ella está la impresionante *cocina*, a cuy espalda se encuentra el notabilísimo patio cubierto por la *lucerna*, situado entre los cuatro claustros menores. La disposición es prácticamente igual en el Colegio, donde destaca el aula magna o "teatro".

La *portada principal*, en el centro de esta fachada, sirve de acceso al Monasterio y a Basílica, y por tanto tiene un carácter de emblema religioso; no tiene relación con el cuerpo del edificio en el que se apoya, que la *Biblioteca*, sino que alude al templo, cuya verdadera fachada está al fondo del atrio.

De hecho, Herrera se inspiró para componer esta portada en un grabado de Serlio ilustrando una fachada de iglesia, sugestión a la que acaso no fue ajeno Felip muy aficionado al manejo de tratados de

Presbiterio de la Basílica, con el Retablo Ma

Arquitectura. El escudo real y el *San Lorenzo* son de Juan Bautista Monegro.

Atravesando el *zaguán*, sobre el cual queda la Biblioteca, se accede al *Patio de los Reyes*, dominado por la gran *cúpula* y la *fachada de la Basílica*.

Las *esculturas* de los seis grandes reyes de Judá que campean sobre su primer cuerpo son también de Monegro, como el *San Lorenzo*. La piedra para los siete cuerpos se extrajo de un mismo bloque granítico en una cantera de la sierra, bloque en el que se grabó: "seis reyes y un santo/ salieron de este canto/ y quedó para otro tanto". El patio fue concebido por Toledo con pórticos laterales que no llegaron a hacerse. La torre de la derecha es la del reloj o de las campanas; la de la izquierda, la de las campanillas, así llamada por un órgano de campanas o carillón, flamenco, vuelto a instalar en 1988.

Subiendo al *pórtico de la Basílica*, vemos una puerta en el testero de la derecha: era la antigua entrada principal al Monasterio, y por ella saldremos una vez acabada la visita.

La Basílica

LA GRAN iglesia conventual es la verdadera razón de ser de El Escorial. Aunque Juan Bautista de Toledo fijó dentro de la traza universal su emplazamiento y límites, no fue su proyecto lo que se llevó a cabo, sino una síntesis para la cual Juan de Herrera aprovechó ideas diversas.

El proyecto de Toledo presentaba un ábside semicircular flanqueado por torres; el ingeniero-arquitecto Francesco Paciotto criticó acerbamente en 1562 sus proporciones generales, presentando en 1563 otro proyecto de iglesia cuadrada. Toledo diseñó otro en 1567, y entre esta fecha y 1572 Felipe II mandó reunir trazas de los mejores arquitectos italianos, las cuales fueron revisadas junto c las españolas por la Academia Florentina, y Vignola en Roma. Cuando Felipe II las recib en 1573 opinó que no le servían para much dudó todavía, decidiéndose finalmente, en 1574, por la resolución, al parecer herreriana de las ideas de Paciotto. El resultado se aser a la iglesia genovesa de Santa María de Carignano. En la construcción brillaron las dotes organizadoras de Juan de Herrera y d maestro de obras Fray Antonio de Villacast:

La Basílica se compone en realidad de c iglesias: la que servía para el pueblo, que e *Sotacoro*, y la Capilla Real e iglesia convent que es el cuerpo del templo.

La planta del Sotacoro repite, a menor escala, la de la iglesia mayor, quedando cubierto el espacio central por una atrevida *bóveda plana*. Dos altares a los lados del arc central servían para decir las misas al pueb Entre este espacio y la Capilla Real queda e *Coro de los seminaristas*, separado de aquella por grandes rejas de bronce labradas en Zaragoza por Guillén de Tujarón.

Sobre el Sotacoro se extiende, al nivel d planta principal, el *Coro de los religiosos* (no visitable); la ebanistería de las sillas se deb José Flecha, genovés, y la de las cajas de los órganos a Enrique Cotén. Una de las 124 si en el ángulo suroeste, es ligeramente más ancha: era la utilizada por Felipe II para seguir los oficios en el Coro. *La Gloria* pinta al fresco en la bóveda es de Luca Cambiaso llamado en España *Luqueto*.

Entre los personajes hay varios retratos, como el del propio pintor y el de Fray Anton de Villacastín. Las pinturas de los muros, qu Cambiaso había dejado sin ejecutar a su mue fueron realizadas por Rómulo Cincinnato.

Ya antes de atravesar las rejas de bronce atrae la vista la *Capilla mayor*, cuyo fondo e ocupado por el enorme *retablo mayor* y los

Arriba, a la izquierda, vista del crucero de la Basílica, y, a la derecha, vista de las bóvedas y de la cúpu la Basílica. Abajo, el

laterales por los *cenotafios reales*, según una canónica traza clasicista de Juan de Herrera. Toda la escultura en bronce dorado es de los milaneses Leone y Pompeo Leoni.

Destaca, en el cuerpo inferior, el hermoso templete del *Tabernáculo*, diseñado por Herrera y realizado en 1579-1586 por Jacome da Trezzo con diversidad de mármoles españoles. Los dos lienzos del primer cuerpo y el central del segundo son de Pellegrino Tibaldi, y el resto de Federico Zuccaro.

Los cenotafios, el de Carlos V en el lado del Evangelio (izquierda) y el de Felipe II en el de la Epístola (derecha), están coronados por sus respectivos escudos de armas. Las tres puertas situadas debajo de cada uno comunican, la más cercana al púlpito con la Sacristía y el Relicario, y las otras dos con los pequeños *oratorios* inmediatos a los dormitorios de los Reyes.

Esta disposición sigue la del Cuarto del Emperador en Yuste. Puede decirse que de este modo Felipe II casi dormía sobre su tumba, y rezaba bajo el lugar destinado a su propia estatua sepulcral orante. A su alrededor están sus esposas Isabel de Valois, María de Portugal (madre del Príncipe Carlos, que está junto a ella) y Ana de Austria. Enfrente, junto a Carlos V armado y con el manto imperial, figuran la Emperatriz Isabel (madre de Felipe II); detrás, su hija María; y a continuación las hermanas del Emperador, María de Hungría y Leonor de Francia.

La *bóveda del Presbiterio* está, como la del Coro, pintada al fresco por Luqueto y representa la *Coronación de la Virgen*. El resto de las *bóvedas* se terminaron de estucar en el siglo XVI, y en 1693 Carlos II encargó a Luca Giordano que las decorara con los frescos

---

▲ *A la izquierda,* Cenotafio de Felipe II; *y a la derecha, Leoni:* grupo sepulcral de Carlos V y su Familia.

Leoni: Esculturas orantes de Felipe II y su Familia

constituyen un impresionante conjunto barroco.

Giordano es bien conocido en España como Lucas Jordán debido a las muchas obras que ejecutó para y en este país, tan abundantes como pudo su facilidad y rapidez que le valieron el apodo de "Fa presto", el rápido, bastante merecido: pintó estas bóvedas y la de la escalera del Monasterio en 22 meses, desde septiembre de 1692 hasta julio de 1694, y a los 57 años de edad.

Además de los dos grandes altares-relicarios pintados por Federico Zuccaro que ocupan el frente de las naves laterales, dedicados a la *Anunciación* y *San Jerónimo en el desierto*, se distribuyen por las capillas y nichos de la Basílica otros casi cuarenta retablos (treinta y seis en la iglesia, y dos en el Sotacoro) adornados con lienzos, entre cuy[o]s autores destacan Juan Fernández de Navar[rete] *el Mudo*, Diego de Urbina, Luis de Carvajal[,] Alonso Sánchez Coello, españoles; y Luca Cambiaso, Rómulo Cincinnato y Pellegrino Tibaldi, italianos.

Completan la decoración de la Basílica [los] dos grandes candelabros de bronce, el *tenebrario* y el *clavel*, obra de Juan Simón de Amberes, hacia 1571; y los dos *púlpitos* de Manuel de Urquiza, encargados por Fernando VII hacia 1830.

En una de las capillas a los pies de la igles[ia] se exhibe una pieza capital de la escultura italiana del siglo XVI: el soberbio *Cristo crucificado* de mármol de Carrara que Benven[uto] Cellini labró entre 1559 y 1562 para colocarl[o] sobre su propia tumba en la iglesia florenti[na]

24 ▲ Lucas Jordán: *Bóveda pintada al fresco, con el* Éxodo de los israelitas.

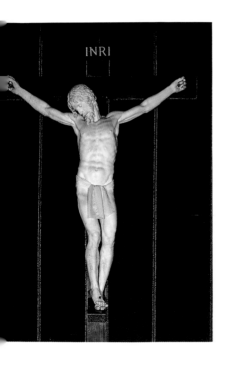

iba, a la izquierda, Benvenuto Cellini: Cristo crucificado, *y, a la derecha, fachada de la Biblioteca al Patio de los Reyes.* ▲
Abajo, vista general del Patio de los Reyes, con la fachada de la Basílica.

la Santissima Annunziata. Nunca llegó a ocupar ese destino, pues el Gran Duque de Toscana le persuadió para que se lo vendiera, regalándoselo luego a Felipe II. Está firmado y fechado en el subpedáneo. Es admirable la morbidez en el modelado del cuerpo desnudo.

Al salir de la Basílica cruzamos de nuevo el Patio de los Reyes para, subiendo una escalera a la derecha del zaguán, llegar a la *Biblioteca*, contemplando antes la rigurosa belleza de su fachada al Patio de los Reyes.

La Biblioteca

EN EL programa inicial del Monasterio la Biblioteca, considerada como una dependencia más alrededor del Claustro, no tenía la importancia objetiva y simbólica que acabó alcanzando. Sirve de nexo entre Convento y Colegio (a los que es de uso común) y a la vez aparece como un elemento de guardia y acceso del eje central del edificio, en el que por tanto se alinean saber, fe y poder. No sólo su posición, sino la misma riqueza decorativa, demuestran la importancia que Felipe II dio a la Biblioteca dentro del conjunto.

Lo que se visita es el *salón principal* o de honor, en el que hay libros impresos, pero había además otra sala para manuscritos y otra para impresos y libros prohibidos. La importancia otorgada a la Biblioteca está en correlación con la que también dio Felipe II al Seminario y al Colegio a partir de 1579, todo ello inspirado por el espíritu de Trento; pero además se explica por el prestigio que ganaba la Corona con una Biblioteca Real que fuese el resumen de todos los saberes y la "reserva preciosa" de los códices originales.

A pesar de que se ha visto diezmada en varias ocasiones, la más grave de las cuales fue el incendio de 1671, se conservan en ella

Vista general de la Bibli

más de 40.000 textos, entre los que se cuenta una riquísima colección de manuscritos latinos, griegos, hebreos y árabes.

Además de los propios, que eran más de 4.000, y los que pertenecían a la Corona, hasta entonces conservados en la Capilla Real de Granada, el Rey hizo traer a El Escorial libros de colecciones particulares. Benito Arias Montano y Fray José de Sigüenza fueron los encargados de ordenar y clasificar esta inmensa colección, incrementada durante el reinado de Felipe III con 4.000 manuscritos árabes.

La *sala principal* de la Biblioteca es "alegre, llena de majestad y de luz", pues tiene siete ventanas al Patio de los Reyes y cinco a la Lonja, 55 metros de largo y 10 de anchura. Deslumbra por la riqueza de sus estanterías y de sus *pinturas al fresco*, realizadas entre 1586 y

1592 por Pellegrino Tibaldi en su estilo manierista, tan evidentemente influido por Miguel Ángel. El amplio y complicado programa iconográfico, repleto de alusione protagonizado por sabios y personajes de l Antigüedad en su mayor parte, se debe al cronista de la fundación de El Escorial, Fra José de Sigüenza.

El ciclo pictórico de Tibaldi empieza co *Filosofía* en el testero del Colegio, por dond entramos, y la *Teología* en el Sur, en el teste del Convento. Desde la una hasta la otra se desarrollan las ciencias, es decir, las siete a liberales según la agrupación medieval del *Trivium* (Gramática, Retórica, y Dialéctica) *Quadrivium* (Aritmética, Música, Geometrí Astrología). En cada tramo de la bóveda aparece una representación alegórica de

▲ *Pellegrino Tibaldi: Detalle de la pintura al fresco en la bóveda de la Biblioteca.*

Detalle de una de las estanterías de la Biblioteca. ▲

de ellas; en los correspondientes espacios semicirculares o lunetos figuran, a cada lado, dos representantes insignes de la ciencia en cuestión, y en los frisos bajo la cornisa, historias alusivas a la misma.

Las monumentales *estanterías dóricas* fueron realizadas por José Flecha, Juan Senén y Martín de Gamboa según diseño de Juan de Herrera, y en ellas los libros están colocados con los cantos de las hojas hacia fuera para que el papel "respire": los cortes de las hojas, dorados, se entrevén a través de la tela de alambre dieciochesca, y "así parece la pieza hermosa, porque desde el suelo a la cumbre está o pintada o cubierta de oro".

Los estantes son de maderas de Indias en su color, sobre un zócalo de mármol. Los fustes de las columnas son de ácana, y las basas y capiteles de naranjo. Las cinco mesas de mármol pardo a lo largo de la sala son de la época fundacional, mientras que las dos ochavadas de pórfido fueron realizadas por el marmolista Bartolomé Zumbigo, hacia 1660. Sobre todas ellas se explayaba una amplia colección de globos terráqueos y celestes, mapas, astrolabios, etc., que indicaban la condición de gabinete científico que tenía la Biblioteca. Como recuerdo de ello todavía se conservan en la sala una esfera armilar, construida por Antonio Santucci hacia 1582 según el sistema tolemaico, las esferas terrestre y celeste de Jean Blaeu de hacia 1660, y la piedra-imán que al parecer fue encontrada en las excavaciones para la cimentación del Monasterio.

Otros objetos de ebanistería dignos de interés son el *armario* de fines del XVIII, taraceado de ébano y boj, donde se guarda la colección de monedas, y la *portada* barroca, fechada en 1622, por la que salimos a los corredores del Patio de la Hospedería.

Arriba, herramientas de albañilería y cantería, y, abajo, maqueta de uno de los chapiteles de las t[

El Greco: El Martirio de San Mauricio y la Legión Tebana. ▲

Junto a ella, por la escalera de la Hospedería, bajamos al Patio de los Reyes para iniciar el recorrido de los Museos.

Los Museos

AL BAJAR de la Biblioteca volvemos al Patio los Reyes, salimos del edificio y volvemos a entrar en él por la puerta central de la *fachc norte*, donde habíamos adquirido las entrac Esta era la puerta que daba acceso directo a las cocinas de Palacio, ahora convertidas en taquillas y cafetería. Por ellas, o por el zagu salimos al *Patio de Palacio* o *de Coches*, cuyas galerías oriental y meridional aparecen decoradas con dos series de batallas de épc de Felipe II, una de escuela flamenca del siglo XVII, relativa a la campaña de los Paí Bajos, y otra sobre la Batalla de Lepanto, de Luca Cambiaso.

Su amplitud sólo luce al nivel de la planta principal, pues la mitad de su área está ocupada por un cuerpo de dos pisos en forma de T, que albergaba las dependencia: de las *cocinas de boca*. Aquí se sitúan los servicios.

Las habitaciones de la planta primera al este y al norte del Patio de Palacio constituy el *Palacio de los Borbones*. En tiempos de los Austrias, las del Norte eran aposentos para damas y caballeros de la Corte, y las del Es servían para los Infantes.

Nuevos Museos

Su acceso se encuentra en el centro de la galería oriental. En la primera sala se expone la talla, en madera policromada, de *San Miguel triunfante sobre Lucifer*, obra de la escultora de cámara de Carlos II, Luisa

▲ *Maquetas de grúas utilizadas en la construcción del Monasterio.*

dán. En la segunda luce el soberbio
dro de Domenico Teotocopuli, *El martirio
an Mauricio y la Legión Tebana*. Encargado
Felipe II para el altar correspondiente de
asílica (ocupado finalmente por otro de
nulo Cincinnato), el cuadro de El Greco no
tó a Felipe II por razones de "decoro" o
veniencia en la representación de imágenes
radas, característica del arte de la
trarreforma. Varios tapices flamencos de
lección de Felipe II se distribuyen por las
las, destacando la famosa serie del

Triunfo de la Madre de Dios, conocida como los
Paños de Oro.

Museo de la Arquitectura del Monasterio

Por la escalera situada tras el cuadro del
Greco bajamos a estas salas, abiertas en 1963 y
enriquecidas recientemente a raíz de las
exposiciones celebradas en 1986, que albergan
un montaje didáctico con planos, maquetas,
etc., que se explican por sí mismos.

A la izquierda, Paolo Cagliari, el Veronés: La Anunciación, *y, a la derecha, Juan Fernández de Navarrete, el Mudo:* ▲
La degollación de Santiago.

Museo de Pintura

Ocupa las salas del piso bajo de la *Casa del Rey*, el llamado *Palacio de verano*, que fueron habilitadas en 1963 para exponer aquellas obras de la colección acumulada durante siglos en el Monasterio que no fueron trasladadas al Museo del Prado en los siglos XIX y XX. Describiremos a continuación el montaje actual, en el que, como es lógico, puede que se introduzcan variaciones.

La primera sala agrupa, junto a cuadros de escuela veneciana del siglo XVI, otros, como el magnífico *San Miguel* de Luca Cambiaso.

Entre los venecianos destacan: *Santa Margarita*, por Tiziano; la *Magdalena*, por Domenico Tintoretto; el *Padre Eterno*, atribuido a Pablo Veronés, y dos *Descendimientos* cuya versión reducida también se expone aquí, atribuida a su hijo Carlo Veronese.

La segunda sala está ocupada por la pintura flamenca de los siglos XVI y XVII. Del XVI, dos grandes composiciones, *Las siete artes liberales* de Martín de Vos, y *El juicio de Salomón*, de Pieter Aertsen, fechado éste en 1562. Del XVII, destacan tres copias: *La cena de Emaús* de P.P. Rubens; y de Van Dyck una *Virgen* y una *Huida a Egipto*. De Jordán imitando a Rubens es el *Martirio de Santa Justina*.

La tercera sala está dedicada en su integridad al flamenco Miguel Coxcie, uno de los pintores favoritos de Felipe II, y cuya obra está profundamente impregnada de italianismo a través de su estudio de la obra de Rafael y de Leonardo. Destacan el *Cristo con la Cruz a cuestas*, *David y Goliat* y el *Tríptico de San Felipe*, realizado en homenaje al santo patrono del Rey.

Las tres salas interiores (cuarta, quinta y sexta), cuyas ventanas dan al Patio de Mascarones muestran pintura italiana, española y flamenca del XVII,

fundamentalmente. Destacan en la primera *Viaje de Jacob* por Andrea di Leone y el *Ret? de Inocencio X* por Pietro Martire Neri; en l? segunda dos *Bodegones con jilgueros* de Juar van der Hamen y dos *Floreros* de Daniel Seghers, y en la tercera *Lot embriagado por s hijas* del Guercino.

La larga sala séptima, que es la antigua galería de paseo del Palacio de verano, con excelentes vistas sobre los jardines y hacia Madrid, guarda algunos de los lienzos más famosos conservados en el Monasterio, y d? los más ligados a la historia de su fundació? como los pensados para el altar mayor de ? Basílica y luego desechados.

Estos son: *La Anunciación* por Pablo Veronés; *La Adoración de los pastores* por Tintoretto; *El Nacimiento* y *La Epifanía* por Federico Zuccaro.

En la pared de enfrente se encuentran las grandes obras del pintor riojano Juan Fernández de Navarrete *el Mudo*, entre las q? destacan *San Jerónimo penitente* y *La degollac? de Santiago*. En medio de ellos se encuentra l? excelente copia por Coxcie del *Descendiment? cuyo original (antes en El Escorial, ahora en ? Prado) se debe al pintor flamenco de fines del XV Roger Van der Weyden, de quien es ? *Calvario* que ocupa el testero de esta misma s? En el testero opuesto, *La vocación de San Pedr? San Andrés*, del italiano Federico Barocci.

La sala octava está dedicada a la pintura española del siglo XVII; del "Españoleto" J? de Ribera, cabeza de la escuela napolitana ? XVII aunque valenciano de nacimiento, debemos destacar *La aparición del Niño a San Antonio* y un *San Jerónimo penitente*, así como algunas copias; de Francisco de Zurbarán, la *Presentación de la Virgen en el Templo*. La novena sala, primitivamente dormitorio de verano de Felipe II (comunicado con la tribuna de la "iglesia?

REAL MONASTERIO DE SAN LORENZO DE EL ESCORIAL

subterránea" que le servía de oratorio, y que ahora es Panteón de Reyes) está dedicada a Luca Giordano y al Guercino, así como a algunos pintores españoles del XVII. En ella se conservan dos representaciones de la *Virgen con el Niño* por Alonso Cano.

De la novena y última sala del Museo de Pintura se sale por un pasillo al Patio de Mascarones.

Patio de Mascarones

ESTE PATIO, asombrado por el enorme testero de la iglesia, debe su nombre a las dos fuentes que hay en su muro oriental; los otros tres lados están rodeados por pórticos con arcos de medio punto sobre columnas toscanas, orden propio del carácter de casa de campo que tenía esta residencia regia. Sobre la composición, tan

marcadamente inspirada en modelos italian de este Patio, ponen una nota de sabor flamenco los tejados y los curiosos capacete las chimeneas, cuya conservación se debe a del pavoroso incendio de 1671 sólo salieron indemnes las techumbres de esta parte del edificio, la *Casa del Rey*, que se desarrolla en dos pisos alrededor de este Patio, con las habitaciones de verano, como hemos visto, e la planta baja, y las de invierno en la princip como veremos ahora.

La Casa del Rey

OCUPA UNA posición simbólica en el eje cen del edificio, estrechamente unida al santuar de modo que el Rey aparece como protegid por la Gracia Divina y como defensor de la Iglesia; mediador entre lo sagrado y lo

▲ *El Patio de Mascarones.*

Vista general de la Galería de Batallas. Pintura al fresco por Granello, Castello, Cambiaso y Tc

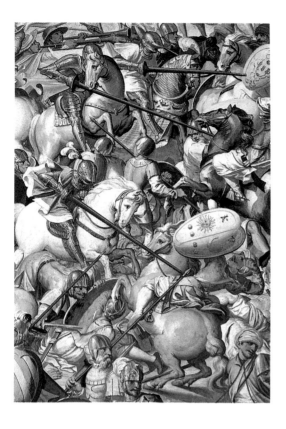

profano (Convento y Palacio) pero distanciado de los mortales en sus habitaciones "donde no puede llegar sin su licencia otro ninguno, como águilas en las rocas inaccesibles". La Casa del Rey es, pese a sus modestas proporciones y aspecto, el eje de todo el organismo y la trabazón de todas sus diferentes partes, pues a todas puede llegar desde ella el Monarca sacralizado.

Este pequeño Palacio que vamos a visitar está dividido, como todos los de los Reyes de España en esa época, en dos "cuartos" similares en disposición, el *del Rey* y el *de la Reina*, situados aquí de modo que desde el Dormitorio de cada uno, y a través del correspondiente Oratorio, pueda verse el altar mayor de la Iglesia, "de suerte que están los reyes dentro (digámoslo así) y fuera de la capilla mayor; no se pudo trazar con mayor decencia ni

grandeza". El de la Reina está al lado del Evangelio (izquierda, según miramos el altar el de mayor honor; como el Rey quedó viudo por cuarta y última vez en 1580, el aposento la Reina fue utilizado desde entonces por su hija Isabel Clara Eugenia, por lo que recibe generalmente el nombre de *Cuarto de la Infan*

Subiendo desde el Patio de Mascarones por la escalera de la Reina se accede a las sa del Cuarto de la Reina, o de la Infanta, pero también se puede salir a la última sala del "Palacio Público" que enlaza con la Casa de Rey: la Galería de Batallas.

La *Galería de Batallas*, vasta sala de 55 metros de largo, está enteramente pintada fresco con las escenas guerreras que le dan nombre, por Niccolo Granello, Fabrizio Castello, Orazio Cambiaso y Lazzaro Tavar Estas "piezas largas" eran características de

▲ *A la izquierda, detalle del fresco de la* Batalla de la Higueruela *en la Galería de Batallas, y, a la derecha, vista general d de Retratos.*

ca; servían tanto para el paseo a cubierto
o para las recepciones solemnes.

Felipe II quiso demostrar aquí que sus
pañas por la hegemonía europea
oncaban con la actitud combativa
arrollada por los monarcas cristianos
añoles de la Edad Media, y así se
trapone la *Batalla de La Higueruela* (copia de
largo dibujo del siglo XV que se encontró en
lcázar de Segovia), victoria de Juan II de
tilla sobre los granadinos en 1431, pintada
el largo muro frente a las ventanas, frente a
ve episodios de la guerra de Felipe II contra
ncia, con la representación de la famosa
lla de San Quintín, y dos escenas de la
paña marítima por la sucesión de la
rona de Portugal en las islas Azores, todo de
poca de Felipe II, representados en los
ebalcones y en los testeros.

Entrando en el Cuarto de la Reina o de la
Infanta se llega a la *Antesala,* de la que
pasamos a la *Cámara* o Dormitorio de la
Infanta, desde la cual puede verse el
presbiterio de la iglesia y, por las ventanas, el
Jardín de la Reina.

El retrato de *Isabel Clara Eugenia* está
colocado junto al de su hermana *Catalina
Micaela,* ambos por Juan Pantoja de la Cruz.
El pequeño *órgano positivo* o realejo es de
manufactura flamenca del siglo XVI, con un
escudo de Felipe II en su frente.

De la Cámara volvemos, dando un rodeo a
través de los corredores altos del Patio de ·
Mascarones que comunicaban el Dormitorio
del Rey con el de la Reina, a la *Antesala*
decorada con varios cuadros de Juan Correa
de Vivar y del taller de los Bassano, y en la
que se encuentra la *silla de manos de Felipe II.*

Esta silla, usada por el Rey, aquejado de gota, durante sus últimos años de vida, presenta un curioso sistema para abatir el respaldo. La estructura permitía superponer un toldo y cerrar los costados.

A partir de aquí empieza el *Cuarto del Rey*. La secuencia y utilización de las salas estaba regulada en los palacios reales españoles por la etiqueta borgoñona, impuesta por Carlos V, que reforzaba el sentido sacro de la persona del Monarca: a cada sala resultaba más restringido el acceso, sucesivamente, en función del rango del visitante. El zócalo de azulejos de Talavera que cubre la parte baja de los muros es original. En general, el mobiliario de estas habitaciones responde a lo que se sabe que había en ellas en el siglo XVI.

De la Antesala pasamos a la *Sala de Audiencias*, hoy llamada de Retratos, por las efigies reales de la Casa de Austria que se conservan en ella y que se deben a Antonio Moro, Sánchez Coello, Pantoja de la Cruz y Juan Carreño de Miranda.

Esta Sala servía para las audiencias ordinarias del Rey. Las sillas plegables, chinas, de época Ming (tercer cuarto del XVI), eran utilizadas por el Rey para descansar su pierna gotosa. Entre los retratos destaca el de *Felipe II* a los 35 años y vestido con la armadura que llevó en la *Batalla de San Quintín*, por Antonio Moro.

De esta Sala se pasa a la *Galería de Paseo*, y de ésta a la Sala del Rey, por dos puertas dobles de marquetería "de lo mejor y más bien labrado que nos ha venido de Alemania, bien trazadas y entendidas", regaladas por el Emperador Maximiliano II a Felipe II en 1567. La Galería de Paseo, dentro del Cuarto del Rey, era un elemento frecuente en los palacios europeos del XVI, y servía para pasear en los días de mal tiempo.

Se ha seguido más o menos la descripción del Padre Sigüenza al colocar en ella lienzos

Arriba, silla plegable china utilizada por Felipe II. Abajo, puerta de marquetería alemana en la Galería de P

Antonio Moro: Fe

en los que se representan acciones militares de la época de Felipe II (eran paisajes flamencos lo que aquí había) y grabados de mapas debidos al famoso geógrafo del siglo XVI Abraham Ortelius. Las *meridianas*, en el suelo de esta habitación y en el de la siguiente, son obra del jesuita Juan Wedlingen (1755).

Las dos salas interiores, con ventanas al Patio de Mascarones, paralelas a esta galería y visibles desde las puertas, están decoradas con cuadros de los siglos XVI y XVII, entre los que destacan: *El cambista y su mujer*, de Marinus van Reymerswaele, y *La Virgen con el Niño* de Quentin Metsys.

En la *Sala del Rey* o *Antecámara* puede verse una serie bastante completa de las Casas Reales de Felipe II en torno a Madrid, en lienzos anónimos del XVII. De este modo podemos evocar el gusto por la arquitectura y la pasión por edificar que se manifestaron en este

Monarca cuando era todavía Príncipe, y cuya máxima expresión es el propio Monasterio de Escorial, del que se exhiben también aquí algunas de las estampas grabadas por Pedro Perret según los diseños de Juan de Herrera. Esta serie es fundamental para el conocimien del edificio. En tiempos de Felipe II estaban a estos grabados, y además "cuadros de retrato del natural de muchas cosas que se ven en nuestras Indias: unos de muchas diferencias aves... otros de variedad de animales grandes pequeños... y otras de mil sabandijas", produ de la gran obra científica del protomédico de Felipe II, Francisco Hernández.

A través de un pasillo que rodea la *esca del Rey* llegamos a la *Cámara de Felipe II*, do expiró el 13 de septiembre de 1598 "...en la misma casa y templo de San Lorenzo que había edificado, casi encima de su misma sepultura, a las cinco de la mañana, cuan

▲ *Cámara del Rey.*

rompía por oriente... y estando cantando
misa de alba los niños del seminario, la
trera que se dijo por su vida y la primera
su muerte...".

La colocación de la cama (inspirada en la
su padre en Yuste) permitía al Rey ver,
bado, el paisaje a través de dos de los
cones y, al lado contrario, su Oratorio y el
r mayor de la Basílica. Sobre la mesa del
pacho se exhibe un importante "reloj de
todia", obra del relojero de cámara de
pe II, el alemán Hans de Evalo. Firmado
583, es una pieza manierista típica; el Rey,
ndo escribía por la noche, no se servía de
luz que de la de su pequeño candil. La
nara del Rey estaba decorada en sus días,
re otras cosas, con la *Mesa de los Pecados
itales* de El Bosco, hoy en el Prado. Entre
que hay actualmente destaca la *Sacra
ersazione* por Benvenuto Tisi, *il Garofalo*;

Arriba, la Cámara del Rey, con el Despacho y el Dormitorio. Al fondo, el Oratorio. Abajo, reloj de custodia, ▲
de Hans de Evalo, 1583.

una *Piedad* por Gerard David; y el retrato de *Felipe II*, anciano, por Pantoja de la Cruz. Debajo, el *retablo de ébano, plata y bronce* es obra romana, de Antonio Gentili según diseño de Giuliano della Porta, regalo de la Gran Duquesa de Toscana al Rey en 1586. El resto de los cuadros, de asuntos piadosos, son flamencos e italianos del XVI.

En la alacena destacan, entre varios objetos preciosos, dos *arquetas medievales*: una de hueso, del siglo X, y otra del taller de Limoges, del XII; ya del XVI, el *portapaz plateresco* en forma de templete del famoso orfebre Luis del Castillo; y de finales del mismo siglo, dos *pinturas sobre ágata* atribuidas a Annibale Carracci.

La austeridad de estas habitaciones ha (chocar si se considera el esplendor de la pompa regia en la Edad Moderna y que Felipe II, Rey de España y de las Indias de América, era el mayor monarca europeo de siglo, pero hay que tener en cuenta que se trataba del "Cuarto Real" del fundador der de un Monasterio en el que, siguiendo la tradición medieval, Felipe II gustaba de habitar y retirarse a cultivar su piedad religiosa y filial.

De estas habitaciones salimos por un pasillo y, descendiendo, llegamos al vestíbulo entre la *Basílica* y la *Antesacristía*, desde el cual se continúa la bajada hasta l(*Panteones*.

▲ *El Oratorio del Rey, visto desde el presbiterio de la Basílica.*

Panteones

A DE las funciones primordiales de
scorial es ser el lugar de enterramiento de
Reyes de España. Sin embargo, esta
nción del fundador recibió la forma que
los a ver, ya muerto Felipe II, quien dijo,
ún alguno de sus biógrafos, que él había
ho morada para Dios; que su hijo, si
siese, la haría para sus huesos y los de sus
res. Los dos panteones responden a siglos
téticas bien diferentes: barroco, del XVII,
e *Reyes*; ecléctico, del XIX, el de *Infantes*.
Se accede a los Panteones mediante una
lera que arranca del paso de la Iglesia a
acristía. El ramal de la izquierda

conduce al de Reyes y el de la derecha al de
Infantes.

El *Panteón de Reyes* es una cámara circular
cubierta con media naranja y cuya circunferencia
se segmenta en ocho tramos. Herrera la concibió
y construyó solamente de granito, pero cuando
Felipe III decidió convertirla en Panteón encargó
su revestimento actual de mármoles y bronces al
superintendente de las obras reales Giovanni
Battista Crescenzi, según proyecto de Juan
Gómez de Mora iniciado en 1617; la realización
se prolongó, debido a diversas dificultades,
durante casi todo el reinado de Felipe IV, y se
concluyó en 1654.

Crescenzi, romano, dirigió la realización
de los bronces por artífices italianos,

A la izquierda, la puerta de acceso al Panteón de Reyes. A la derecha, Altar del Panteón de Reyes. ▲

En la doble página siguiente, vista general del Panteón de Reyes. ▶

especialmente genoveses. De la obra de mármol estuvieron encargados Pedro de Lizargárate y Bartolomé Zumbigo, *el Viejo*. Corresponde al reinado de Felipe IV la solución de los problemas técnicos (un manantial que había surgido al profundiza suelo), el enriquecimiento de la cúpula con grutescos, el nuevo diseño del suelo y todo revestimento de la escalera y sus portadas, dorado de los bronces y la adición de algui más. La riqueza de mármoles (azulado de Toledo y rojizo de Tortosa) y de bronces, la pompa del orden corintio y la exuberancia barroca de los grutescos hacen de esta cáma un notable ejemplar del temprano barroco italiano, más internacional que hispánico. Preside el altar un *Cristo crucificado* de Domenico Guidi, autor menos conocido pe más afortunado que Pietro Tacca y que Gia Lorenzo Bernini, quienes realizaron antes otros crucifijos para este mismo lugar, conservados ahora en la capilla del Colegio en el camarín de la Sacristía, respectivamen

En las urnas reposan (tras haberse consumido previamente, durante años, en u habitación inmediata, el "Pudridero") los restos de los Monarcas y de sus esposas, pe éstas sólo en caso de haber sido madres de Rey; los Reyes al lado derecho del altar y la Reinas al izquierdo, colocados por orden cronológico desde Carlos V a Alfonso XIII, periodo de cuatro siglos en la Monarquía española; están ausentes sólo los cuerpos de Felipe V y de su hijo Fernando VI, así como sus esposas, pues desearon ser enterrados e sus respectivas fundaciones de La Granja de San Ildefonso y del Monasterio de las Salesa Reales en Madrid.

El *Panteón de Infantes* fue construido por iniciativa de Isabel II, según proyecto de Jos Segundo de Lema, concluyéndose en 1888. Cada una de sus nueve cámaras, situadas ba

▲ *Arriba, sepulcro de Don Juan de Austria, en la quinta cámara del Panteón de Infantes. Abajo, detalle de la bóveda de las Salas Capitulares.*

acristía y las Salas Capitulares, está
sidida por un altar y revestida de mármol.
esculturas y motivos decorativos fueron
rados en Carrara por Jacopo Baratta di
poldo, siguiendo los modelos del aragonés
nciano Ponzano. El estilo del conjunto,
pirado en fuentes historicistas, da lugar a
unas formas nuevas de pesadez
daderamente sepulcral. La fría riqueza del
terial, el colorido y el interés histórico, así
no el espíritu decimonónico que impregna
e Panteón forman su atractivo.
Destacan la *primera cámara*: altar
oclásico, con un *Descendimiento* de Carlo

Veronese, sepulcro de la Infanta María Josefa
de Borbón, por Isidro González Velázquez;
sepulcro de la Infanta Luisa Carlota de
Borbón, con la estatua orante de su nuera,
Isabel II, aquí colocada por ser la soberana que
hizo construir este panteón. Sepulcro de los
Duques de Montpensier y de sus hijas, por
Aimé Millet. *Quinta cámara*, sepulcro
historicista de Don Juan de Austria, realizado
por Giuseppe Galeotti según diseño de
Ponzano. *Sexta cámara*, ocupada por el
mausoleo de los Infantes muertos antes de
llegar a la pubertad, especie de tarta de veinte
lados en mármol blanco. En el altar, *La Virgen*

Mausoleo poligonal en la sexta cámara del Panteón de Infantes. ▲

Evangeliario, obra de Juan Simón de Amberes en 1571. En la *Celda Prioral* se han agrupado las tablas de Hyeronimus Bosch, llamado en España *El Bosco,* que continúan en el Monasterio, entre las que destacan *El camino del Calvario*, *La coronación de espinas* y *El carro de heno*. Preside el altar de esta sala el *retablo portátil del emperador Carlos V,* suntuosa obra de plata sobredorada, esmaltes y madera, realizado en talleres diferentes: más italianizantes los relieves y los apóstoles, y de un estilo manierista más internacional y tardío los tres remates.

Claustro principal

LAS GALERÍAS del Claustro principal, en torno al Patio de los Evangelistas, están decoradas con cincuenta y cuatro pinturas al fresco co[n] la *Historia de la Redención*, desde el nacimie[n]to de la Virgen hasta el Juicio Final, ordenánd[o]las a partir de la Puerta de las Procesiones que comunica el Claustro con la Iglesia. Este cic[lo] es obra de Pellegrino Tibaldi y su taller. La[s] "estaciones" en las esquinas son de Luis de Carvajal, Rómulo Cincinnato, del propio Tibaldi y de Miguel Barroso.

Escalera principal

EN EL centro de la galería oeste del Claustro encontramos esta hermosa escalera "de gran autoridad y hermosura", que no fue realizad[a] según el proyecto de Juan Bautista de Toled[o] sino según otro debido, al parecer, a G.B. Castello, llamado *el Bergamasco*. Al atractivo [

52

▲ *Galería del Claustro principal bajo.*

Lucas Jordán: La Gloria de la Monarquía española, *en la bóveda de la Escalera principal.*

sobre rieles hasta desaparecer del todo, y queda así a la vista el maravilloso *Crucifijo* de Pietro Tacca, y el tabernáculo neogótico que sustituye al barroco desaparecido durante la invasión napoleónica. El retablo y camarín se realizaron según traza de José del Olmo.

Del Claustro salimos al *Pórtico de la Basílica,* desde el cual podemos acceder a ésta (p. 20), y al *Patio de los Reyes* (p. 26). A través del *patinejo* (al fondo del Pórtico a la izquierda), o saliendo de nuevo al exterior para volver a entrar por la fachada norte, llegamos al *Patio de Palacio* o de Coches donde está el acceso al *Palacio de los Borbones*.

Palacio de los Borbones

Es ACCESIBLE a la visita, guiada y concertada previamente, los viernes por la tarde y los sábados, mediante cita que se debe obtener llamando al teléfono 91-890 59 02/5.

Estos aposentos borbónicos ocupan los lados oriental y septentrional del Patio de Palacio o de Coches. En época de los Austrias, las crujías internas con luces al Patio constituían dos vastas galerías; de las crujías exteriores, la oriental era la ocupada por la Familia Real, mientras que en la septentrional estaban las habitaciones de los principales gentileshombres de la Corte. Carlos III hizo adaptar todos estos espacios para el más cómodo alojamiento de la Familia Real, en especial de los Príncipes de Asturias, porque él habitaba, como sus predecesores, en el "mango de la parrilla", que estuvo decorado también al gusto borbónico hasta el reinado de Alfonso XIII. Sin embargo, cuando Carlos IV subió al trono no quiso ocupar el secular Cuarto del Rey, sino continuar en las habitaciones a las que ya estaba acostumbrado, y para darles más digna entrada hizo que Villanueva construyese la

escalera nueva y modificase completament[e] fachada norte del Monasterio.

Por su coherencia decorativa, su riqueza[] tapices de la Real Fábrica de Santa Bárbara [de] Madrid y la conservación relativamente bue[na] de su disposición, es el más característico de[los] palacios borbónicos españoles.

Se accede al Palacio por la *escalera,* háb[il] obra del arquitecto Juan de Villanueva en 1793. Desde el rellano superior pueden seguirse tres caminos correspondientes a l[as] diferentes habitaciones de las personas rea[les.] Seguiremos el recorrido del *Cuarto del Rey*[.]

Las tres pequeñas habitaciones más occidentales de la banda norte estaban ocupa[das] por los *talleres de Carlos IV*. En ellas destacan varios cuadros de asunto religioso de Mariar[o] Salvador Maella y tres piezas de porcelana e[n] bizcocho de la Real Fábrica de Nápoles, con retratos de la Familia Real. A continuación, l[a] *Sala del Chinero,* que debe su nombre a la existencia de un mueble-aparador de estilo neoclásico, donde se muestra una vajilla de porcelana inglesa de la fábrica Coppeland, re[galo] del monarca británico Jorge V a Alfonso XIII [y] Doña Victoria Eugenia con motivo de su bod[a.]

A partir de aquí se suceden las salas decoradas con tapices de la Real Fábrica de S[anta] Bárbara sobre modelos, o "cartones", pintad[os] por los artistas que se indican, y concebidos [a] medida para las paredes de este Palacio y, en [su] mayor parte de los casos, para el de El Pardo[.] Los tapices vestían así por completo las pare[des] para abrigar del frío a las personas reales, pu[es la] "jornada" de El Escorial tenía lugar en otoño[, y] la de El Pardo en invierno. Quizá este deseo [de] ofrecer ámbitos acogedores y cálidos expliqu[e las] dimensiones relativamente pequeñas de las habitaciones. En origen, los cartones para cad[a] habitación eran encargados a un solo artista [y] tenían una temática unitaria, lo que dotaba a[l] conjunto de una coherencia estilística y

argumental perdida hoy en gran parte debido a los muchos traslados de finales del siglo XVIII y principios del XIX, que en la mayor parte de los casos hay que respetar.

El *Comedor de Gala*, antigua Pieza de Trucos, está decorado con tapices sobre cartones de Goya, Bayeu y Castillo. La pieza siguiente, que sirve de *vestíbulo* desde la escalera de Villanueva: de Anglois, Antonio González Velázquez y Calleja imitando composiciones de Teniers y Wouwerman. La Antesala, de Goya y Bayeu. Y el *Salón de embajadores*, de Bayeu. La pieza del *Oratorio del Rey*, en cuyo altar hay una *Sagrada Familia* de Luca Giordano, se encuentra en el ángulo del Patio de Palacio: hasta aquí se ha recorrido toda la hilera de salas cuyos balcones al Patio de Palacio están orientados al Sur, y se sigue a continuación por la fachada que mira al Oeste. Las cuatro primeras habitaciones pertenecían al Cuarto de las Infantas. La primera es la antigua *Sala de Recreo de las Infantas*, hoy conocida como de *Telémaco* a causa de las "aventuras del joven héroe" representadas en los tapices tejidos en Bruselas por Leyniers. A partir de aquí los tapices vuelven a ser todos de la Real Fábrica de Madrid. La siguiente pieza era el *Dormitorio*, con tapices sobre cartones de Bayeu y Aguirre. La tercera es la *Pieza de las amas de cría*, conocida como *Salón Pompeyano*, de Agustín y Juan Navarro. Y a continuación la *Pieza de entrada al Cuarto de las Infantas*, de Goya, Castillo y Bayeu. Las dos siguientes salas pertenecían al Cuarto de la Reina: *Sala de ujieres*, con escenas de caza por Goya, Castillo y Aguirre. Desde aquí se contempla la última de esta hilera de habitaciones, la *Pieza de entrada del Cuarto de la Reina*, que se comunica directamente con la Sala de Batallas y está decorada con tapices sobre composiciones de Teniers.

Todas las demás habitaciones, a continuación, abren sus ventanas a la fachada oriental y, a partir de las Piezas de Maderas

Dormitorio, llamado del Rey, en el Palacio de los Borbones

Jardines

UNA VEZ terminada la visita al edificio, conviene gozar de los jardines y de otras obras en el exterior. Paseando a lo largo de la fachada principal, y bajando las escaleras de la Lonja, nos encontramos con la galería de comunicación entre el Monasterio y la Compaña. Bajo ella, una puerta conduce, atravesando el Patio de la Botica, a la *Galería de Convalecientes*, obra de Juan Bautista de Toledo. "Hermoso pedazo de fábrica y arquitectura que hace dos frentes o fachadas en estos jardines", no está formado con "arcos iguales continuados, sino con ciertos intercolumnios, que le dan mucha gracia". Como su nombre indica, estos "Corredores del Sol" servían para el reposo de los frailes enfermos y, además, como ornato del muro contención que cierra y salva el desnivel en la Lonja y el jardín.

Jardín de los Frailes

Ocupa la explanada sostenida por fuertes muros que sirve de plataforma al Monasterio; las escaleras que bajan emparejadas lo comunican con la *huerta*, dominada por el hermoso *estanque*, obra de Francisco de Mora.

Volviendo a salir del Jardín, conviene llegar al extremo del pretil sobre el estanque para contemplar desde allí la *fachada sur del Monasterio*. Siguiendo esta carretera llegamo a la Casita de Arriba.

▲ *Jardín reservado del Rey y Torre del Prior.*

Vista de la fachada posterior de la "Casita de Arriba" o del Infante y sus jardines, al suroeste del Monasterio.

Casita de Arriba o del Infante

Fue construida por Juan de Villanueva en 1771-1773 para el Infante Don Gabriel, hijo de Carlos III. Su noble arquitectura jónica se integra en un jardín formal aterrazado, a la italiana, desde el cual se disfruta de una de las mejores *vistas* del Monasterio. Está abierta al público en Semana Santa y en los meses de verano, salvo los lunes.

La planta de este amable casino de recreo, en torno a una sala central de doble altura, estaba pensada para la audición de conciertos de cámara y deriva, en último término, de modelos palladianos. Es muy característico de Villanueva el vano de entrada con columnas enmarcadas por macizos.

Por último, un paseo bajando desde la fachada norte del Monasterio a través de un parque cercado conduce a la Casita de Abajo.

Casita de Abajo o del Príncipe

Levantada en los mismos años que la anterior para el hermano mayor de Don Gabriel, el futuro Carlos IV, por el mismo Juan de Villanueva, fue ampliada en 1781-1784. Además de la mayor envergadura del proyecto, esta Casa lleva sobre la otra la ventaja de la mejor conservación de su decoración interior.

Como en la del Infante, es muy acertada –y aquí más compleja– la gradación entre el edificio principal y los secundarios, y la relación con la traza del jardín formal, que es también de Villanueva, aunque alterada por las coníferas que se plantaron a fines del XIX y en el XX. En 1781 se efectúa una ampliación consistente en el Salón Grande y el Ovalado, que otorgan a la planta forma de T, así como en la parte superior del jardín de poniente con el estanque. En la planta baja, los techos pintados

"pompeyanos" son de Vicente Gómez, Man Pérez, Juan de Mata Duque y Luis Japelli, y de estuco, de estilo neoclásico, diseñados pc Giambattista Ferroni. Los cuadros son, en su mayor parte, de Luca Giordano y del tambi napolitano Corrado Giaquinto, y de temátic religiosa, alegórica y mitológica. Entre los muebles sobresale una serie de piezas de exquisito gusto neoclásico, como la gran me del Comedor, con un magnífico tablero de piedras duras del Real Laboratorio del Buer Retiro, sobre columnas corintias, de la époc Carlos IV.

Desde el jardín de esta *Casita* puede contemplarse, emergiendo de las copas de lc árboles del Parque, la *cúpula* de la Basílica, q tiene 92 metros de altura, veinte más que los campanarios y 47 más que las torres. El número total de ventanas es de 2.600, de las cuales 296 son exteriores; existen 1.200 puert 86 escaleras; 88 fuentes; 16 patios; 15 claustrc y 9 torres; todo ello sobre un área de 207 por 161 metros.

Bóveda de la Sala Central en la Casita del Infante.

Fachada principal y pórtico de la Casita de Abajo o del Príncipe.

Bibliografía

HERRERA, Juan de: *Sumario y breve declaración de los diseños y estampas de la fábrica de San Lorenzo el Real del Escorial*, Madrid, 1589 (ediciones facsímiles, 1954 y 1978).

SIGÜENZA, José de: *Fundación del Monasterio de El Escorial.* -Libros 3 y 4 de *Historia de la Orden de San Jerónimo* (Madrid, 1605)-, Ed. Turner, Madrid, 1986.

SANTOS, Francisco de los: *Descripción del Real Monasterio de San Lorenzo del Escorial, única maravilla del mundo*, Madrid, 1657.

XIMÉNEZ, Andrés: *Descripción del Real Monasterio de San Lorenzo del Escorial: Su magnífico templo, panteón y Palacio*, Madrid, 1764.

BERMEJO, Damián: *Descripción artística del Real Monasterio de San Lorenzo del Escorial y sus preciosidades después de la invasión de los franceses*, Madrid, 1820.

LLAGUNO y AMIROLA, Eugenio: *Noticias de los arquitectos y arquitectura desde su restauración, por don Eugenio Llaguno y Amirola, ilustradas y acrecentadas con notas, adiciones y documentos por don Juan Agustín Ceán Bermúdez*, 4 volúmenes, Madrid, 1829.

QUEVEDO, José de: *Historia del Real Monasterio de San Lorenzo*, Madrid, 1849.

ROTONDO, Antonio: *Historia descriptiva, artística y pintoresca del Real Monasterio de San Lorenzo, vulgarmente llamado de El Escorial*, Madrid, 1863.

RUIZ DE ARCAUTE, Agustín: *Juan de Herrera, arquitecto de Felipe II*, Madrid, 1936.

HENERMANN, Theodor: "El Escorial en la crítica estético-literaria del extranjero, esbozo de una historia de su fama", en *El Escorial: Revista de cultura y letras*, 1943, pp. 319-341.

LÓPEZ SERRANO, Matilde: *Trazas de Juan de Herrera y sus seguidores para el Monasterio de El Escorial*, Madrid, 1944.

LORENTE JUNQUERA, Manuel: "La galería de convalecientes, obra de Juan de Herrera", en *Archivo Español de Arte*, 17, núm. 63, 1944, pp. 137-147.

PORTABALES, Amancio: *Los verdaderos artífices El Escorial y el estilo indebidamente llamado herreriano*, Madrid, 1945.

ZUAZO UGALDE, Secundino: *Los orígenes arquitectónicos del Real Monasterio de San Lorenzo del Escorial*, Madrid, 1948.

PORTABALES PICHEL, Amancio: *Maestros mayores arquitectos y aparejadores de El Escorial*, Madrid, 1952.

ÁLVAREZ TURIENZO, Saturnino: *El Escorial en letras españolas*, Madrid, 1963.

AA.VV.: *Monasterio de San Lorenzo el Real de El Escorial.* Patrimonio Nacional. El Escorial, 1964, 2 volúmenes.

CHUECA GOITIA, Fernando: *Casas Reales en Monasterios y Conventos españoles*, Madrid, R.A.H., 1966, Madrid, Xarait, 1982.

TAYLOR, René: "Architecture and magic: Considerations on the idea of the Escorial", en *Ensays in the history of architecture in honor of Rudolf Wittkower*, Phaidon, Londres, 1967 (Versión española con texto revisado y ampliado: Ediciones Siruela, S.A., Madrid, 199

KUBLER, George: *Building the Escorial*, Princeton 1982. Ed. española, Alianza Editorial, Madrid 1983.

OSTEN SACKEN, Cornelia Von der: *El Escorial, estudio iconológico*, Madrid, Xarait, 1984.

RIVERA BLANCO, Javier: *Juan Bautista de Toledo Felipe II. La implantación del clasicismo en España* Universidad de Valladolid, 1984.

/V.: *El Escorial en la Biblioteca Nacional,*
ogo de la exposición, IV Centenario de la
ación del Monasterio de El Escorial, Madrid,
1986. Con completísima bibliografía
a de estudios sobre el Monasterio y
ros que lo mencionan.

corial: la Arquitectura del Monasterio,
M. Madrid, 1986.

logos de las exposiciones celebradas con
vo del IV Centenario de la terminación del
asterio: *Las Colecciones del Rey. Las Casas*
s. *Fe y Sabiduría. Iglesia y Monarquía,*
monio Nacional; *Biografía de una época,*
sterio de Cultura; *Fábricas y orden*
ructivo, MOPU; *Ideas y diseño,* COAM;
rid, 1986.

EÓN, Pedro: *La arquitectura de Juan de*
nueva, COAM, Madrid, 1988.

CÍA-FRÍAS CHECA, Carmen: *La pintura mural*
caballete en la Biblioteca del Real Monasterio
Escorial, Patrimonio Nacional, Madrid,

GÓMEZ, Leticia: *Catálogo de Pintura*
ciana histórica en el Real Monasterio de
scorial, Patrimonio Nacional, Madrid,

CA CREMADES, Fernando: *Felipe II, mecenas de*
tes, Editorial Nerea. Madrid, 1992.

CAHY, Rosemarie: *The decoration of the Royal*
ica of El Escorial, Cambridge University
s, 1994 (Versión española: *"A la mayor*
a de Dios y el Rey": La decoración de la Real
ica del Monasterio de El Escorial, Patrimonio
ional, Madrid, 1992).

AMANTE, Agustín: "El Panteón del
rial", *Anuario del Departamento de Historia y*
ía del Arte, UAM, Madrid, 1992.

KINSON-ZERNER, Catherine: *Juan de Herrera,*
itect to Philip II of Spain, Yale University

Press, New Haven y Londres, 1993 (Versión
española: Juan de Herrera, arquitecto de
Felipe II, Ediciones Akal, S.A., Madrid, 1996).

BURY, John: *Juan de Herrera y El Escorial,*
Patrimonio Nacional, Madrid, 1994.

BUSTAMANTE GARCÍA, Agustín: *La octava*
maravilla del mundo (Estudio histórico sobre
El Escorial de Felipe II), Editorial Alpuerto, S.A.,
Madrid, 1994.

CANO DE GARDOQUI Y GARCÍA, José Luis:
La construcción del Monasterio de El Escorial.
Historia de una empresa arquitectónica,
Universidad de Valladolid, Salamanca, 1994.

RODRÍGUEZ ROBLEDO, Piedad: *Pedro de Tolosa,*
primer aparejador de cantería de El Escorial,
Colegio Oficial de Aparejadores y Arquitectos
Técnicos de Madrid, Madrid, 1994.

DI GIAMPAOLO, Mario, coord.: *Los frescos*
italianos de El Escorial, Sociedad Editorial Electa
España, Madrid, 1994.

BROWN, Jonathan: *El triunfo de la pintura,*
Madrid, 1995.

Navarrete el Mudo, pintor de Felipe II. Catálogo
de la exposición, Logroño, 1995.

DI GIAMPAOLO, Mario, coord.: *Dibujos italianos*
para El Escorial, Editorial Nerea, Madrid, 1995.

BROWN, Jonathan: *La Sala de Batallas de*
El Escorial: La obra de arte como artefacto cultural,
Universidad de Salamanca, Salamanca, 1998.

AA.VV.: *Felipe II y el arte de su tiempo,* Madrid,
CSIC, 1998.

Revistas: *Reales Sitios* (Patrimonio Nacional), y
La Ciudad de Dios (PP. Agustinos).

BIBLIOGRAFÍA

Este libro, editado por el Patrimonio Nacional, se terminó de imprimir el 4 de noviembre de 2001, festividad de San Carlos Borromeo, en Madrid, en Estudios Gráficos Europeos.